Junie B. en 1re année

Aloha ha! ha!

As-tu lu les autres livres de la collection Junie B. Jones de Barbara Park?

Amoureuse
Bavarde comme une pie
Capitaine d'équipe
Fermière pas ordinaire
Fouineuse-ratoureuse
Junie B. Jones adore les mariages
Junie B. Jones brise tout
Junie B. Jones et le gâteau hyper dégueu
Junie B. Jones et le valentin à froufrous
Junie B. Jones et son p'tit ouistiti
Junie B. Jones n'est pas une voleuse
L'affreuse coiffeuse
La fête de Jim-la-peste
Le monstre invisible
Pas folle de l'école
Poisson du jour
Premier diplôme

Junie B. en 1re année

Enfin!
Reine de la cafétéria
Tricheuse-copieuse
Vendeuse de dents
Aloha ha! ha!

BARBARA PARK

Junie B. en 1re année
Aloha ha! ha!

Illustrations de Denise Brunkus

Texte français d'Isabelle Allard

Éditions
SCHOLASTIC

À la totalement indispensable, absolument irremplaçable,
parfois irritable, mais toujours adorable...
Cathy Goldsmith

Ce livre est un ouvrage de fiction. Les noms, les personnages, les lieux et les situations sont soit des créations de l'auteure, soit utilisés à titre fictif. Toute ressemblance avec des personnes (vivantes ou décédées), des événements ou des lieux n'est que pure coïncidence.

Catalogage avant publication de Bibliothèque et Archives Canada

Park, Barbara
Aloha ha! ha! / Barbara Park ;
illustrations de Denise Brunkus ;
texte français d'Isabelle Allard.

(Junie B. en 1re année)
Traduction de: Aloha-ha-ha!
Public cible: Pour les 7-10 ans.

ISBN 978-0-545-98839-1

I. Brunkus, Denise II. Allard, Isabelle III. Titre.
IV. Collection : Park, Barbara . Junie B. en 1re année.

PZ23.P363Al 2009 j813'.54 C2009-901144-1

Édition publiée par les Éditions Scholastic,
604, rue King Ouest, Toronto (Ontario) M5V 1E1.

5 4 3 2 1 Imprimé au Canada 09 10 11 12 13

Imprimé sur du papier contenant 30 % de matériaux recyclés

Préservons notre environnement

Scholastic a choisi d'imprimer les pages de cet livre sur du papier recyclé et a réduit sa consommation de ressources[1] et sa pollution[1] dans les mesures suivantes :

énergie	eau	gaz à effet de serre	déchets solides
6 millions de BTU	12 400 litres	358 kg	191 kg

9 arbres de nos forêts ont été sauvés.

Imprimé par **Webcom Inc.** sur du papier Legacy Trade Book White 30% à contenu postconsommation de 30 %.

FSC
Sources Mixtes
Groupe de produits issu de forêts bien gérées, de sources contrôlées et de bois ou fibres recyclés.
Cert no. SW-COC-002358
www.fsc.org
© 1996 Forest Stewardship Council

[1]L'estimation des effets sur l'environnement a été faite au moyen du calculateur «Environmental Defense Paper Calculator».

Table des matières

1

Super marché

Vendredi

Cher journal de première année,

J'AI UNE GRANDE NOUVELLE!

UNE TRÈS GRANDE NOUVELLE!

Hier soir, papa m'a annoncé une belle surprise : ma famille va faire un ~~voillage~~ voyage très excitant! On va avoir les plus belles vacances de notre vie, je te le dis!

J'essaie de garder cette nouvelle pour Montre et raconte. Mais je ne pense pas que je peut attendre aussi longtemps. Alors, c'est pour ça que je vais demander à mon prof de commencer cette activité TOUT DE SUITE!

Regarde bien ça...

J'ai arrêté d'écrire et j'ai levé la main.

M. Terreur ne me regardait pas.

Quand les profs ne te regardent pas, il faut se lever et crier. Sinon, comment est-ce qu'ils te remarqueraient?

Je me suis levée et j'ai crié :

— MONSIEUR T.! MONSIEUR T.! COMBIEN DE TEMPS IL RESTE AVANT MONTRE ET RACONTE?

M. Terreur m'a regardée en fronçant les sourcils.

Je ne suis pas censée l'appeler monsieur T., je pense.

— Assieds-toi, Junie B., a-t-il dit. C'est le moment d'écrire votre journal. Tu dois garder le silence.

J'ai hoché la tête.

— Oui, je sais. Sauf que j'aimerais qu'on en finisse et qu'on commence Montre et raconte.

M. Terreur a aspiré ses joues.

— Je t'ai dit de t'*asseoir*. Ce sera Montre et raconte bientôt.

J'ai regardé l'horloge.

— Bientôt, c'est dans combien de minutes? Est-ce que c'est dans une minute, huit minutes ou onze minutes? Parce que si c'est une minute, je peux attendre. Mais onze minutes, il n'en est pas question.

M. Terreur a marché jusqu'à mon pupitre. Il m'a fait asseoir sur ma chaise.

— Je voulais juste une estimation, ai-je dit.

À ce moment-là, ma voisine qui s'appelle Marion s'est penchée dans l'allée. Elle m'a fait un gros CHUT! à la figure.

Je me suis dépêchée d'essuyer ma joue.

— BEURK! ai-je hurlé. BEURK! BEURK!

Parce qu'elle m'avait *postillonné* dans la figure, c'est pour ça.

Et *postillonner*, c'est le mot des adultes

pour dire *cracher*.

J'ai couru dans le fond de la classe. J'ai grimpé sur le tabouret pour atteindre le robinet. Mais M. Terreur est arrivé avant moi.

Il a passé un essuie-tout sous l'eau et m'a essuyé le visage.

— Merci, ai-je dit. J'en avais bien besoin!

Il a levé les yeux au plafond.

— Tu es bien turbulente ce matin, Junie B.

Je me suis gratté la tête en entendant ce mot compliqué.

— Je suis... quoi?

— Turbulente, a-t-il répété. Tur-bu-len-te, ça veut dire...

La voix de Marion l'a coupé :

— TANNANTE! a-t-elle crié. Ça veut dire *tannante*, Junie Jones. Tu es tannante ce matin. Tannante, tannante!

Je me suis tournée vers elle.

Sa chaise faisait face à l'arrière de la classe.

Elle me regardait comme un spectacle.

M. Terreur a passé les doigts dans ses cheveux fatigués.

Il s'est approché de Marion. Il l'a replacée dans la bonne direction.

Les profs passent beaucoup de temps à faire ce genre d'ajustement.

Quand il est revenu, il s'est accroupi près de moi. Il m'a chuchoté dans l'oreille :

— Junie B., je sais pourquoi tu es aussi excitée. Ta mère m'a téléphoné hier. Elle m'a parlé de vos vacances de la semaine prochaine.

J'ai levé les bras, tout excitée et j'ai sauté dans les airs.

— J'ai tellement *hâte*, monsieur Terreur! J'ai hâte, j'ai hâte, j'ai hâte!

Il a attrapé mes bras. Il m'a empêchée de sauter.

— Tu vois, c'est de ce comportement turbu-lent que je parlais tantôt. Il faut *vraiment* que tu restes calme jusqu'à la fin de l'activité, Junie B. Peux-tu faire ça pour moi?

J'ai réfléchi une seconde. Puis j'ai haussé les épaules.

— Ouais, sauf que je ne suis pas sûre d'être capable. Parce que j'*essaie* déjà d'être calme. Et voilà ce que ça donne.

M. Terreur s'est tapoté le menton.

— Hum. Je te propose un marché. Si tu restes calme et silencieuse jusqu'au moment de Montre et raconte, je te laisserai parler la première. Qu'en dis-tu?

Je me suis mise à bondir en entendant cette bonne idée.

— Je dis SUPER MARCHÉ!

— Marché conclu, donc? a-t-il demandé.

— Marché conclu! ai-je répondu.

Après, j'ai fait une joyeuse pirouette tout en rond. J'ai tournoyé et je me suis retrouvée par terre par accident.

En tombant, j'ai renversé la poubelle et le tabouret.

Toute la classe numéro un s'est tournée pour me regarder.

Je me suis assise et j'ai agité la main.

— Ne vous inquiétez pas, les amis. Je vais bien!

Je me suis relevée. Je me suis époussetée un peu. Puis je suis retournée à mon pupitre.

J'ai regardé l'horloge.

Elle avait seulement avancé de quelques minutes.

J'ai baissé la tête en grognant.

Le temps est lent comme une tortue.

2

Kaboum

Les enfants ont écrit pendant des heures dans leur journal, on dirait.

Finalement, ils ont fini par finir!

Il était temps!

C'était enfin le moment de MONTRE ET RACONTE!

Mes jambes se sont dépliées. Elles m'ont transportée très vite jusqu'en avant de la classe.

J'ai sauté en l'air en criant :

— JE VAIS PARTIR EN VACANCES! EN VACANCES!

Sauf que tant pis pour moi. Parce que quand je suis retombée de mon saut, j'ai perdu l'équilibre. Et j'ai encore atterri sur le plancher.

Cette fois, toute la classe a éclaté de rire.

J'ai pianoté avec mes doigts par terre, pas contente du tout. *Bon, peut-être que je devrais arrêter de sauter*, me suis-je dit à moi-même.

M. Terreur a demandé le silence.

— Les enfants, si Junie B. est si excitée aujourd'hui, c'est parce qu'elle a appris qu'elle partait en vacances seulement *hier soir*.

Il m'a fait un clin d'œil.

— Dis-leur où tu vas, Junie B.

J'ai pris une grande inspiration. Puis les mots se sont mis à sortir tout seuls :

— À HAWAII, LES AMIS! JE VAIS À HAWAII! ET JE PARS CE DIMANCHE!

Tous les enfants sont restés bouche bée.

Tous sauf la riche Lucille.

Au lieu de cela, Lucille a étiré ses bras dans les airs.

— Hawaii, a-t-elle dit en bâillant. Bof! Pour moi, c'est du déjà vu.

Elle s'est levée.

Elle a fait une pirouette, puis elle s'est rassise.

Mon amie qui s'appelle Sabine s'est levée, elle aussi.

— Eh bien, *moi*, je n'y suis jamais allée. Je n'en reviens pas, Junie B.! Tu vas vraiment aller à Hawaii?

— Oui, Sabine, vraiment! ai-je répondu.

C'était la plus grande surprise de ma carrière, je te le dis! Parce qu'hier soir, papa a dit qu'il allait à Hawaii passer une entrevue pour son travail. Et, surprise, il a acheté deux autres billets. Un pour maman et un pour moi!

J'ai tourné joyeusement autour de M. Terreur.

— Et vous ne savez pas la meilleure! Papa dit que ce voyage est seulement pour les « grandes personnes »! Alors, mon petit frère Ollie n'a même pas le *droit* de venir!

La classe numéro un a eu l'air étonnée de cette information.

— Ça alors! a dit mon ami José. Tu veux dire que tu es une *grande personne*, Junie B.?

J'ai hoché la tête à toute vitesse.

— Oui, José. Je suis une *grande* personne. C'est pour ça que j'ai lu le dépliant de voyage avec maman, hier. Et le dépliant dit qu'Hawaii est un véritable *éden*.

M. Terreur a hoché la tête.

— Un éden, hein. C'est un drôle de mot,

Junie B. Y a-t-il quelqu'un qui sait ce que cela veut dire?

— Moi, mon grand-père a une grosse bedaine! s'est écrié Stéphane. Ma grand-mère dit que c'est parce qu'il mange trop de cacahuètes!

Marion la rapporteuse s'est levée d'un bond.

— Stéphane a dit un gros mot! Il a dit *caca*, monsieur!

M. Terreur l'a regardée.

— Marion, je suis désolé de te contredire, mais Stéphane n'a pas dit un gros mot. Il a dit *cacahuète*, qui est un synonyme d'arachide.

Marion est restée une seconde sans parler. Puis elle a dit en haussant les épaules :

— Bon, au moins j'aurai essayé.

M. Terreur a écrit le mot *cacahuète* au

tableau.

— Je ne pense pas que ma grand-mère veut savoir comment ça s'écrit, a dit Stéphane. Elle va quand même empêcher mon grand-père d'en manger.

M. Terreur a fermé les yeux une minute.

Il est allé à l'évier. Il a bu de l'eau.

En revenant, il s'est arrêté devant la carte du monde sur le mur. Il nous a montré où était Hawaii.

— Les enfants, ces îles du Pacifique sont les principales îles qui composent l'État d'Hawaii.

Il a pris le globe terrestre sur l'étagère. Il m'a demandé de le montrer à tout le monde.

Je me suis arrêtée à chaque pupitre.

— Oh! a dit Roger. On dirait plein de petits pois qui flottent sur l'océan.

J'ai hoché la tête.

— Je sais, Roger. Mais ma mère dit que ces petits pois sont plus gros en personne.

M. Terreur a ri.

— Oui, ils sont *beaucoup* plus gros en personne, Junie B. Et ils ne flottent pas *vraiment*, Roger. Ne t'en fais pas, notre amie Junie B. ne va pas partir à la dérive.

— Zut, a grogné Marion.

J'ai fait semblant de ne pas l'entendre. Je suis allée ranger le globe terrestre. Puis je suis retournée à l'avant de la classe.

— J'ai d'autres renseignements sur Hawaii, ai-je dit. Maman a lu qu'il y a beaucoup de fleurs et d'oiseaux là-bas. En plus, elle a lu qu'Hawaii a été formée par des explosions de volcans.

J'ai réfléchi une seconde.

— Elle a lu beaucoup d'autres choses sans importance, aussi. Mais j'étais fatiguée et j'ai arrêté de l'écouter.

M. Terreur a gloussé.

— Eh bien, les volcans sont très intéressants. Quand ils entrent en éruption, ils projettent de la lave. Et après des millions d'années, la lave peut former des étendues de terre. En fait, il y a deux volcans toujours actifs à Hawaii de nos jours.

Je suis restée silencieuse. J'ai laissé cette information s'installer dans ma tête.

Tout à coup, j'ai eu un petit frisson.

— Ah bon, je n'étais pas au courant de ce problème de volcans.

Marion s'est encore levée.

— Eh bien, moi, je suis bien contente de ne pas aller à Hawaii, a-t-elle déclaré. Qui voudrait se faire arroser par un volcan cracheur de lave? Se faire arroser par un volcan cracheur de lave, ça gâcherait toutes mes vacances!

M. Terreur a encore aspiré ses joues.

— Junie B. ne va pas se faire arroser par un volcan cracheur de lave, Marion. Il n'y a pas de volcan actif sur l'île où elle va.

Marion a réfléchi une minute.

— Bon, d'accord. Mais admettons qu'elle se fasse arroser par un volcan cracheur de lave. Ça gâcherait ses vacances, oui ou non?

M. Terreur est retourné à l'évier.

Cette fois, il s'est aspergé le visage avec de l'eau.

Après s'être séché, il a fait rasseoir Marion.

J'ai levé la main pour dire autre chose.

— Et je ne vous ai pas dit le plus beau! Devinez comment je vais aller à Hawaii, les amis! Allez, devinez! Non, attendez! Je vais vous donner un indice!

J'ai étendu mes bras comme des ailes. Et j'ai couru très vite dans la classe numéro un.

— Avez-vous vu? Je vole! Je suis en train de voler! C'est comme ça que je vais aller à Hawaii! Je vais aller dans un *vrai de vrai* avion!

Lucille s'est levée et a encore bâillé.

— Un *avion*? Eh bien, dis donc! Encore une chose que je connais par cœur!

M. Terreur lui a dit de s'asseoir.

— Ce sera une merveilleuse aventure pour toi, Junie B., m'a-t-il dit en souriant. Et pour être certain que tu rapporteras beaucoup de belles photos, je t'ai acheté un petit cadeau.

Il est allé chercher un sac dans le placard.

Je me suis dépêchée de regarder à l'intérieur.

Youpi! Il y avait un appareil photo dedans!

Je l'ai sorti pour le montrer à la classe.

— Regardez, les amis! Regardez! C'est la sorte d'appareil photo qu'on achète à la pharmacie! Je suis très bonne avec ce truc. Parce que j'en ai déjà utilisé un pour une sortie de maternelle!

M. Terreur a sorti un autre cadeau du sac.

— Tiens, Junie B. C'est un journal photographique. C'est comme votre journal de première année, sauf qu'il raconte une histoire avec des *photos* au lieu de mots.

Il l'a ouvert.

— Regarde à l'intérieur. À chaque page, il y a un endroit où coller une photo et écrire une légende. Une *légende*, c'est une phrase qui décrit une photo.

Il a montré l'album à la classe.

— Chaque jour, Junie B. va prendre une photo de ce qu'elle fait durant ses vacances. Puis elle va classer ses photos et écrire des légendes. Quand elle reviendra à l'école, son journal photographique nous racontera l'histoire de son voyage!

Il m'a donné l'album.

— Ce sera un devoir amusant, n'est-ce pas, Junie B.?

J'ai commencé à hocher la tête. Puis je me suis arrêtée.

Parce que quelque chose clochait dans sa phrase.

Je me suis tapoté le menton.

C'était le mot *devoir*, je pense.

Finalement, j'ai regardé M. Terreur.

— Bon, il y a juste un problème. *Devoir* veut dire travail scolaire, et *Hawaii* veut dire vacances. Et les enfants n'aiment pas mélanger ces deux choses.

— Oh, mais ce sera un devoir *amusant*, Junie B., a-t-il dit en souriant. C'est une mission très spéciale. Tu seras la première photographe *officielle* de la classe numéro un.

J'ai dressé l'oreille.

— Officielle? ai-je répété. Avez-vous dit *officielle*?

— Oui, a-t-il répondu. C'est exactement ce que j'ai dit.

— *Officielle*, ça veut dire que c'est *important*, hein?

— Oh oui. Extrêmement important!

Je me suis redressée.

Être *officielle*, ça nous fait grandir automatiquement.

Après, M. Terreur m'a serré la main et m'a ramenée à mon pupitre.

— Oh, a-t-il ajouté. N'oublie pas d'apporter ton journal de première année à Hawaii. Ce serait dommage de rater toute une semaine de journal, tu ne crois pas?

Je l'ai regardé d'un air étrange.

Les enseignants et les enfants n'ont pas la même sorte de cerveau.

J'ai soupiré. J'ai sorti mon journal. Je l'ai mis dans le sac avec l'appareil photo.

Mon ami Hubert s'est tourné vers moi.

— Tu es chanceuse, Junie B., a-t-il dit d'un ton excité. Moi aussi, j'aimerais aller à Hawaii la semaine prochaine!

— Moi aussi, a dit Louis.

— Moi aussi, a dit José.

J'ai regardé Marion.

Elle n'a rien dit. Elle a continué de regarder droit devant elle.

J'ai haussé les épaules et je me suis occupée de mes oignons.

Soudain, sans avertissement, Marion a levé les bras dans les airs. Elle a crié :

— KABOUM!

Elle m'a fait un petit sourire.

— Ça, c'était le bruit d'un volcan cracheur de lave.

Je suis restée immobile.
J'ai eu un autre frisson.
Je ne la trouve pas drôle, Marion.

3

Une nouvelle amie

Le lendemain, c'était samedi.

Quand je me suis réveillée, j'étais un paquet de nerfs.

Parce qu'il restait juste un jour avant Hawaii!

Après le déjeuner, moi et maman, on a fait ma valise pour le voyage. On a mis des crayons et des jouets dans mon sac à dos pour l'avion.

— Ce sera amusant, hein, maman? Ce tour en avion va être le plus beau jour de ma vie!

Maman a soupiré.

— Eh bien, une chose est sûre, ce sera *très*

long, a-t-elle dit. Et même un peu ennuyant, j'en ai peur.

Elle est restée là une minute. Puis elle m'a fait un clin d'œil.

— C'est pour ça que je t'ai acheté une nouvelle amie pour le voyage, Junie B.

Mes yeux se sont illuminés de plaisir.

— Une nouvelle amie? Tu m'as acheté une nouvelle amie?

Elle a ébouriffé mes cheveux.

— Oui. Attends ici, je vais aller la chercher.

Aussitôt qu'elle est partie, j'ai pris mon éléphant en peluche favori, qui s'appelle Philip Johnny Bob. J'ai dansé avec lui dans ma chambre.

— Une nouvelle amie, Philip! Je vais avoir une nouvelle amie! ai-je chantonné, toute contente.

Philip a aspiré ses joues.

Tu n'as pas besoin d'une nouvelle amie, Junie B. Tu m'as déjà, non? C'est moi, ton ami.

Je l'ai serré très fort dans mes bras.

— Oui, je *sais* que tu es mon ami, Phil. Mais c'est quand même agréable d'avoir d'autres amis, tu ne trouves pas?

Non, je ne trouve pas, a répondu Philip. *Tu as juste besoin de moi. Et c'est tout.*

Maman est revenue avec ma nouvelle amie, précisément à ce moment-là.

Et ma bouche s'est ouverte toute grande, je vous le dis!

— UNE BARBIE HAWAÏENNE! J'AI TOUJOURS VOULU EN AVOIR UNE! MERCI, MAMAN! MERCI, MERCI! MERCI!

J'ai regardé la Barbie dans sa boîte.

— Oh! Regarde! Elle a une jupe de hula! Et des sandales de hula! Et même une guirlande de hula autour du cou!

Maman a souri.

— Ce n'est pas une *guirlande de hula*, Junie B. Ça s'appelle un *lei*. C'est un collier fait avec des fleurs. Nous en verrons beaucoup à Hawaii.

J'ai sorti ma Barbie de sa boîte.

J'ai dansé avec elle dans la pièce.

— Je crois que je vais l'appeler *Dolores*, ai-je dit. Dolores, ça lui va bien, je trouve.

J'ai arrêté de danser. Je l'ai présentée à Philip.

— Philip Johnny Bob, je te présente Dolores, la danseuse de hula.

Bonjour, a dit Dolores.

Ouais, ouais, a dit Philip.

Après, je les ai mis tous les deux dans mon sac à dos et j'ai tiré la fermeture éclair.

— Maintenant, je ne m'ennuierai pas dans l'avion. Hein, maman? Parce qu'en premier, je vais dessiner. Après, je vais jouer avec Dolores. Et aussi, je vais prendre des photos de l'avion avec mon nouvel appareil photo!

Maman m'a donné un câlin. Puis elle est allée faire sa valise.

Quand elle est sortie, une bagarre a éclaté dans mon sac à dos.

Je l'ai ouvert pour voir quel était le problème.

Philip m'a demandé de le sortir de là, et *tout de suite*! Parce que Dolores lui donnait des coups avec ses petites mains dures et pointues.

Je l'ai sorti et je l'ai mis sur mon lit.

— D'accord, tu peux rester là pour une autre journée, Phil. Mais demain, tu seras *obligé* d'aller dans mon sac à dos avec Dolores. Sinon, tu ne pourras pas venir à

Hawaii avec nous.

Tout à coup, de la chair de poule est apparue sur mes bras.

— À Hawaii, Phil, ai-je chuchoté. On va à Hawaii *pour de vrai*!

Je me suis levée d'un bond. J'ai étendu les bras.

Et j'ai couru dans ma chambre comme si j'étais un avion.

Le lendemain matin, on a apporté bébé Ollie chez mamie et papi Miller. Parce que c'était là qu'il allait passer ses vacances.

Je lui ai donné un bisou. J'ai fait semblant qu'il allait me manquer.

— Au revoir, petit Ollie. Dommage que tu ne viennes pas avec nous.

Tout le monde m'a souri.

On a le droit de dire des mensonges

gentils, je crois. Sauf que je ne suis pas certaine des règles dans ces cas-là.

Après avoir dit au revoir, moi, maman et papa, on est allés à l'aéroport.

Et vous savez quoi?

On a commencé à attendre dans des millions de files d'attente.

En premier, on a attendu dans la file pour laisser la voiture dans le stationnement. Après, on a attendu dans la file pour la navette. Puis dans la file pour donner notre valise à un monsieur. Puis dans la file pour avoir nos cartes d'embarquement.

Après, il restait seulement une file d'attente. C'était la file où des agents regardent tout ce qu'il y a dans nos bagages dans une machine à rayons X.

Cette file est exactement comme les files d'attente à Disneyland, mais en plus long.

Sauf qu'à la fin, il n'y a pas de tour de manège.

Pendant qu'on attendait, j'ai ouvert mon sac à dos pour vérifier mes jouets.

Philip Johnny Bob m'a regardée avec ses yeux d'éléphant fâché.

Dolores n'arrête pas de me pousser. Dis-lui d'arrêter, a-t-il bougonné.

Il s'est tourné vers Dolores.

Reste de ton côté du sac! a-t-il grogné. *Je suis sérieux!*

Tout à coup, papa a pris mon sac à dos.

Il l'a refermé et l'a mis dans la machine à rayons X.

Sauf que tant pis pour Philip Johnny Bob. Parce qu'il ne s'attendait pas à cette situation. Et il faisait très noir dans la machine.

HÉ! QUI A ÉTEINT LA LUMIÈRE? a-t-il crié. *À L'AIDE! SORTEZ-MOI D'ICI!*

Soudain, le monsieur a arrêté la machine à rayons X.

— Qui est le petit farceur qui a dit ça? a-t-il demandé d'un ton sec.

Papa a fait un sourire gêné.

— Heu, en fait, c'est ma fille qui a dit ça. Parfois, elle fait semblant qu'elle est... heu... *un éléphant en peluche.*

Le monsieur a regardé papa d'un air très sceptique.

Puis une dame nous a fait sortir de la file.

Elle nous a fait écarter les bras.

Elle a agité une énorme baguette magique autour de nous.

J'ai tapé des mains, toute contente.

— Hé! C'est exactement comme dans les films!

La dame a dit *ce n'est pas le moment de blaguer, mademoiselle.*

J'ai arrêté de taper des mains.

Cet aéroport n'a pas le sens de l'humour.

4

En sandwich

Quand on est arrivés à la porte pour notre avion, il a encore fallu attendre.

Puis, enfin! Un homme a dit qu'il était l'heure de l'embarquement!

En langage d'aéroport, l'*embarquement*, ça veut dire : encore une autre longue file d'attente!

Sauf que bonne nouvelle!

Cette fois-ci, on était en avant. Et finalement, *finalement*... on est arrivés à nos sièges!

— C'EST MOI QUI PRENDS LA PLACE À CÔTÉ DE LA FENÊTRE! ai-je crié très fort.

Je me suis dépêchée de m'asseoir.

Il y avait un petit store devant la fenêtre. Je l'ai levé, puis je l'ai baissé.

Il était un peu coincé.

Alors, j'ai continué de lever et baisser, lever et baisser ce store pour le décoincer.

Après, j'ai dit à papa et maman :

— Regardez-moi! Regardez-moi ouvrir ce store!

J'ai pris une grande inspiration, puis j'ai commencé.

— En haut, en bas! En haut, en bas! En haut, en bas!

Je me suis arrêtée pour respirer.

Puis j'ai recommencé un peu plus vite.

— Enhautenbas, enhautenbas, enhautenbas, enhaut....

Maman a tendu le bras. Elle l'a empêché de bouger.

— Bon, ça va, a-t-elle dit. C'est très bien. Merci beaucoup.

Puis elle a attaché ma ceinture.

J'ai étendu mes jambes aussi loin que je pouvais.

Et vous savez quoi?

Elles allaient aussi loin que le siège en avant de moi!

— Ça alors! J'ai des jambes de géante, on dirait!

J'ai aplati mes pieds contre le siège. Et j'ai poussé en m'étirant.

Tout à coup, la dame en avant de moi s'est levée d'un coup sec, comme un clown qui sort d'une boîte à surprise! Elle s'est tournée vers moi, le visage très fâché.

— Peux-tu arrêter de donner des coups de pied dans mon siège, *s'il te plaît*? a-t-elle grogné.

Maman a vite enlevé mes jambes.

— Je suis désolée, a-t-elle dit. Veuillez l'excuser, c'est son premier voyage en avion.

J'ai regardé maman d'un air étonné.

— Mais je ne donnais pas des *coups de pied*, ai-je dit. C'est juste que mes jambes sont grandes.

La dame a fait *hum, hum*. Puis elle s'est rassise.

Après, je suis restée tranquille. Je n'ai pas bougé un seul muscle.

Sauf que... attendez donc une seconde!

J'ai soudain aperçu le truc le plus mignon que je n'avais jamais vu!

C'était un petit plateau à l'arrière du siège de la dame grincheuse. Il était replié et complètement à plat.

Je me suis penchée et je l'ai tiré vers moi.

— Eh bien, qu'est-ce qu'ils ne vont pas inventer?

Je me suis exercée à l'ouvrir et à le refermer.

— Regarde, maman! Regarde, papa!

Je me suis levée pour leur faire une démonstration.

— Ouvert, fermé. Ouvert, fermé. Ouvert,

fermé...

BING!

La dame grincheuse s'est encore levée.

— Pour l'amour du ciel, qu'est-ce que tu fais encore?

J'ai avalé ma salive.

— Je fais une démonstration de la table pliante.

Le visage de maman avait l'air gêné.

Elle a encore dit qu'elle était désolée.

La dame a reniflé et s'est rassise.

— *Je t'en prie*, Junie B., a dit maman. Sois sage. Ne touche plus au siège de cette dame.

Je me suis enfoncée dans mon siège.

J'ai fouillé dans mon sac à dos. J'ai sorti Philip Johnny Bob. J'ai chuchoté dans son oreille toute douce.

— Ne touche pas à ce siège. Sinon, la

dame grincheuse va t'arracher la trompe, lui ai-je dit.

Philip a levé les sourcils.

Je ne peux pas y toucher? a-t-il demandé. *Même pas avec mon petit orteil?*

J'ai réfléchi une seconde.

— Eh bien, je suppose que oui, tu peux le toucher avec ton petit orteil. Mais c'est tout!

Alors, Philip a tendu la patte en faisant très attention.

Il a touché le siège de la dame avec son petit orteil.

Aha!

Elle n'a rien senti!

Philip et moi, on a ri comme des fous de notre bonne blague.

Puis Philip a tapoté son menton. Il m'a regardée avec un drôle d'air.

Hum. Je me demande s'il y a une dame

grincheuse derrière nous aussi...

J'ai haussé les épaules.

— Je ne sais pas, Phil. Pourquoi tu ne jettes pas un coup d'œil?

Philip Johnny Bob s'est tourné. Il a essayé de regarder par la fente entre les sièges. Mais il ne pouvait pas bien voir.

Alors, je l'ai soulevé jusqu'en haut du dossier. Je l'ai laissé regarder un petit moment.

Sauf que mauvaise nouvelle. Ça n'a pas vraiment fonctionné. Parce qu'on avait oublié que les yeux de Philip sont des boutons. Et les boutons n'ont pas une bonne vision de loin.

Il est redescendu avec un air déprimé.

Zut. Je n'ai rien pu voir. Qu'est-ce qu'on fait, maintenant?

J'ai réfléchi une seconde.

Puis, youpi! Une petite ampoule s'est allumée dans ma tête! J'ai plongé la main dans mon sac à dos. J'ai sorti Dolores la danseuse de hula.

— Phil, regarde! Dolores! C'est Dolores! Elle est assez petite pour passer dans l'espace entre les sièges! Et aussi, ses yeux ne sont pas des boutons!

Philip a souri.

Tu es une petite futée, Junie B.

— Je sais, Philip! Je sais que je suis une petite futée! Alors, je vais envoyer Dolores en mission d'espionnage vers le siège arrière.

J'ai pris Dolores. Je l'ai poussée dans l'espace. Je l'ai laissée jeter un long coup d'œil.

Sauf qu'un petit problème est arrivé.

J'ai senti un petit coup sur la tête de Dolores.

Puis, *pouf!*

Quelqu'un l'a tirée de l'autre côté du siège.

Je n'en croyais pas mes yeux!

Je me suis mise à genoux. Philip et moi, on a regardé par-dessus le dossier.

Oh non, non, non!

Une *autre* dame grincheuse nous regardait!

Elle tenait Dolores dans sa main. Et son visage ne souriait pas.

Elle a froncé les sourcils.

— N'es-tu pas un peu trop grande pour jouer à faire coucou? a-t-elle grogné.

J'ai avalé ma salive.

— Ouais, sauf qu'on ne jouait pas à faire coucou, ai-je dit.

On faisait une mission d'espionnage, a ajouté Philip.

Soudain, papa s'est levé. Il s'est excusé auprès de la dame. Et il a repris Dolores.

Il m'a fait rasseoir. Il a dit que si je n'arrêtais pas, l'avion allait faire demi-tour et on n'irait même pas à Hawaii!

Je l'ai regardé pendant une minute.

Il bluffait, je pense.

J'ai remis Dolores dans mon sac à dos. Philip et moi, on s'est chuchoté dans l'oreille en secret :

— Je n'en reviens pas, Phil. Il y a une dame grincheuse en avant et une autre en arrière.

On est pris en sandwich entre deux grincheuses, a dit Philip en soupirant.

On s'est affalés sur mon siège. On a regardé par la fenêtre.

Puis, enfin! Le pilote a parlé dans les haut-parleurs. Il a dit que l'avion était prêt à décoller!

Moi et Philip, on s'est serrés très fort de joie.

Puis, youpi! Les moteurs ont fait

beaucoup de bruit.

L'avion a commencé à bouger.

On allait de plus en plus vite!

Et puis... OOOOOH!

ON EST MONTÉS JUSQUE DANS LE CIEL!

C'était comme un tapis magique, je vous le dis! Il y avait des nuages partout autour de nous!

— CETTE VUE EST À ME COUPER LE SOUFFLE! ai-je crié à maman et papa.

Maman a souri.

— C'est vrai, a-t-elle dit. Mais tu n'as pas besoin de crier.

J'ai désigné mes oreilles.

— OUAIS, SAUF QUE J'AI UN BRUIT D'AVION DANS MES OREILLES. JE NE PEUX MÊME PAS ENTENDRE MA VOIX!

Maman a pris mon sac à dos.

— On va essayer de trouver une activité calme, d'accord?

— D'ACCORD! ai-je répondu.

On a regardé tous les trucs que j'avais apportés.

Et youpi! J'ai vu mon nouvel appareil photo!

— YÉ! J'AVAIS PRESQUE OUBLIÉ MON DEVOIR! AUJOURD'HUI, JE VAIS PRENDRE LA PREMIÈRE PHOTO OFFICIELLE POUR MON JOURNAL!

Mes yeux se sont illuminés.

— HÉ! JE SAIS! TU PEUX PRENDRE UNE PHOTO DE MOI À CÔTÉ DE LA FENÊTRE! D'ACCORD, MAMAN? UNE PHOTO DE MOI PRÈS DE LA FENÊTRE, CE SERAIT UN BON DÉBUT, HEIN?

Maman a mis un doigt sur ses lèvres.

— Chut! Tu parles trop fort, Junie B.

Tout le monde peut t'entendre.

Elle a sorti l'appareil photo. Elle a commencé à viser.

— NON, NON, ATTENDS! ATTENDS UNE MINUTE! JE N'AI PAS PRIS MA POSE!

J'ai défait ma ceinture et je me suis appuyée contre la fenêtre.

— PRENDS LES NUAGES DANS LA PHOTO, MAMAN! D'ACCORD? LA CLASSE NUMÉRO UN VA ADORER ME VOIR DANS LE CIEL AU MILIEU DES NUAGES!

Philip Johnny Bob était toujours sur le siège.

— PRENDS AUSSI PHILIP, D'ACCORD? JUSTE MOI, PHILIP ET LES NUAGES. C'EST TOUT.

Tout à coup, Philip a tapoté ma jambe. Il

m'a chuchoté un drôle de secret.

J'ai éclaté de rire.

J'ai dit ce drôle de secret à maman.

— PHILIP DIT DE NE PAS PRENDRE LES DAMES GRINCHEUSES EN PHOTO! PARCE QUE CES GRINCHEUSES GÂCHERAIENT MON JOURNAL!

Les yeux de maman se sont agrandis.

— CHUT! ARRÊTE, JUNIE B.! a-t-elle dit d'un ton paniqué.

Elle s'est dépêchée de prendre la photo.

Mais... oh non!

Les deux grincheuses se sont levées comme des ressorts.

ET LEURS GROSSES TÊTES GRINCHEUSES SONT ALLÉES DANS MA PHOTO!

J'ai couvert ma bouche, horrifiée.

Maman a couvert sa bouche, horrifiée.

Puis on a baissé la tête.

Quand les deux grincheuses ont arrêté de nous regarder, j'ai jeté un coup d'œil à maman.

— Moi et ma grosse bouche, ai-je chuchoté.

Maman a gardé la tête baissée. Elle m'a répondu entre ses doigts :

— Tu m'enlèves les mots de la bouche.

Elle m'a redonné mon appareil photo. Elle a dit qu'on essaierait un peu plus tard, *quand la poussière serait retombée.*

J'ai soupiré.

— Ouais, sauf que je ne pourrai pas essayer plus tard, ai-je pleurniché. Parce que je dois garder les autres photos pour Hawaii.

Je me suis enfoncée dans le siège, toute déprimée.

J'ai fermé les yeux.

J'ai réfléchi à cette stupide légende de photo.

J'ai fait la grimace.

Mon journal photo commençait mal.

5

La bouée

Le tour d'avion a duré toute une éternité.

Moi et Philip Johnny Bob, on manquait d'idées pour jouer.

Finalement, on a fait un petit dodo.

Et quand on s'est réveillés...

Enfin!

On était à Hawaii!

Et attendez que je vous dise!

En descendant de l'avion, des personnes hawaïennes nous ont donné des leis en fleurs. Ça, c'était vraiment gentil, je trouve!

Maman et papa ont repris nos valises, puis on a loué une voiture. On a conduit jusqu'à un joli hôtel.

Un monsieur en uniforme nous a ouvert la porte.

— Aloha, a-t-il dit gentiment.

— Allô qui? ai-je répliqué.

— Aloha, a répété le monsieur. Aloha, c'est un mot hawaïen qui veut dire bonjour et au revoir.

— Hé! ai-je dit en souriant. J'aime ce mot *aloha*. C'est comme quand on rit. Aloha ha! ha!

Après, je suis entrée dans l'hôtel en gambadant. Et les yeux me sont sortis de la tête.

Parce que oh là là là là! C'était le plus bel établissement hôtelier que j'avais jamais vu!

Il était rempli de fleurs multicolores! Et de grands palmiers très minces! Et dehors, il y avait deux sortes d'eau.

D'abord, il y avait l'océan avec une vraie de vraie plage. Et ensuite, il y avait une piscine avec un vrai de vrai tremplin!

Et ce n'est pas tout!

Parce que dans notre chambre, il y avait deux lits géants!

J'ai levé les bras, toute joyeuse.

— Hawaii! Quel endroit merveilleux!

J'ai fait quelques pirouettes. Je me suis cognée contre un des lits. Je suis tombée sur le tapis tout doux.

Il était très épais et moelleux.

J'ai bâillé.

Je me suis blottie confortablement.

J'ai fermé les yeux.

Papa m'a transportée dans le lit.

Maman m'a bordée.

Et j'ai dormi jusqu'au matin.

Le soleil brillait dans mes yeux.

Je me suis étirée, tout endormie. J'ai regardé autour de moi. J'ai vu une belle chambre. Puis, bingo!

Je me suis souvenue!

— JE SUIS À HAWAII! me suis-je écriée.

J'ai sauté du lit. Je suis allée secouer papa et maman pour les réveiller.

— ALOHA HA! HA! PAPA! ALOHA HA! HA! MAMAN! ON EST À HAWAII!

J'ai couru jusqu'à la fenêtre. J'ai regardé toute cette eau.

— Allons à la piscine! Vite, allons à la

piscine! ai-je crié.

Papa et maman se sont assis en bâillant. Ils se sont regardés. Puis ils sont retombés sur leur oreiller.

En vacances, les vieilles personnes ne sont pas très amusantes.

J'ai poussé un gros soupir en les regardant.

Je me suis approchée de leur lit. Je les ai encore secoués pour les réveiller. Finalement, ils se sont levés et se sont habillés. On est allés au restaurant pour déjeuner.

Et YOUPI, YOUPI, HOURRA!

TOUT DE SUITE APRÈS LE DÉJEUNER, ON EST ALLÉS À LA PISCINE.

Et voici la meilleure partie :

En allant à la piscine, on a vu une vitrine de magasin. Et j'ai vu la plus jolie bouée du monde entier!

— Maman! Papa! Regardez la bouée! Elle ressemble à un perroquet! L'avez-vous vue? Elle est jolie, hein?

La dame du magasin a entendu mes exclamations.

Elle a pris la bouée dans la vitrine et me l'a donnée.

— C'est la dernière, a-t-elle dit.

Je me suis mise à sauter sur place avec insistance.

— C'est la dernière! La dernière, maman! Est-ce que je peux l'avoir, papa? S'il vous plaît? Hein? Si vous me l'achetez, je ne vous demanderai plus rien. Plus rien de tout le voyage au complet.

Papa et maman m'ont regardée d'un air méfiant.

Parce que c'était un mensonge, bien sûr.

— Mais tu n'as même pas besoin d'une bouée, Junie B., a dit papa. Tu as appris à nager il y a deux ans.

— Exactement, a dit maman. En plus, cette bouée est beaucoup trop petite pour toi, ma chérie. Elle est faite pour des enfants plus jeunes.

J'ai continué à trépigner.

— Mais je *sais* que je peux entrer dans cette bouée, maman. Je sais que je peux! Je suis aussi mince qu'un fil!

J'ai joint les mains d'un air hyper suppliant.

— S'il vous plaît, est-ce que je peux l'avoir? S'il vous plaît?

Papa a passé les doigts dans ses cheveux.

D'habitude, c'est un bon signe.

Finalement, il a pris la bouée perroquet et il a donné de l'argent à la dame.

Je lui ai donné un gros câlin, tellement j'étais contente.

— Merci, papa! Merci! Merci! Tu es le

plus gentil papa du monde!

Après, j'ai gambadé jusqu'à la piscine avec ma bouée. J'ai essayé d'entrer dedans. Mais elle était trop serrée.

Papa m'a regardée faire.

— Ta mère avait raison, Junie B. Cette bouée est beaucoup trop petite.

— Non, papa. Je sais que je peux entrer dans ce perroquet. J'en suis absolument certaine.

J'ai réfléchi une seconde.

Je me suis avancée jusqu'au bord de la piscine. J'ai laissé tomber la bouée dans l'eau.

Et... *PLOUF!*

J'ai sauté en plein milieu.

Et savez-vous quoi?

Je suis entrée dedans!

J'ai tapé des mains, toute contente.

— TU VOIS, MAMAN? TU VOIS,

PAPA? JE VOUS AVAIS DIT QUE JE POUVAIS ENTRER DEDANS! JE LE SAVAIS!

J'ai pris une inspiration.

— C'EST JUSTE UN PETIT PEU SERRÉ AUTOUR DE MON VENTRE, MAIS JE PENSE QUE JE PEUX QUAND MÊME RESPIRER...

J'ai poussé pour m'éloigner du bord. J'ai

traversé la piscine en battant des pieds.

— M'AS-TU VUE NAGER JUSQU'ICI, MAMAN? AS-TU VU, PAPA? CE PERROQUET EST SUPER RAPIDE!

Mon ventre s'est crispé.

— ET AUSSI, J'AI TRÈS TRÈS MAL!

Je me suis dépêchée de sortir. J'ai couru vers maman à toute vitesse.

— S'il te plaît, enlève-moi ça *tout de suite!* Parce que ce truc me coupe les tripes en deux!

Papa et maman ont essayé de me l'enlever. Mais le perroquet ne voulait pas bouger.

J'ai rentré mon ventre pour me rendre aussi mince que possible.

Tous les trois, on a poussé et tiré. On a soulevé et abaissé. On a tortillé et étiré. Et moi, j'ai sauté et trépigné.

Puis j'ai paniqué et crié :

— JE SUIS COINCÉE DANS MON PERROQUET! JE SUIS COINCÉE DANS MON PERROQUET! APPELEZ LE 911! JE SUIS COINCÉE!

Tout le monde s'est retourné pour nous regarder.

— Chut! a dit papa. Arrête de crier.

Il a vite trouvé le bouchon. Il l'a tiré.

et... *PFUIIITT!*

L'air est sorti de mon perroquet d'un seul coup!

Tout à coup, mon ventre a pu respirer.

— Aaaah! C'est beaucoup mieux. Merci, papa. Merci.

J'ai attendu que tout l'air soit sorti. Puis je suis retournée à la piscine.

Maman m'a rappelée en claquant des doigts.

— Holà! Une minute! Tu ne peux pas

aller dans l'eau comme ça, Junie B. Il faut enlever cette bouée. Reste ici, je vais aller chercher mes ciseaux.

J'ai levé les sourcils en entendant ce mot.

— Tes ciseaux? ai-je répété.

— Oui, a dit maman. Je peux couper cette bouée en un rien de temps.

J'ai laissé cette information entrer dans ma tête.

Tout à coup, mes yeux se sont agrandis d'horreur!

— NON, MAMAN! NON! NE COUPE PAS MON PERROQUET! S'IL TE PLAÎT, NE LE COUPE PAS! IL NE ME FAIT PLUS MAL! JE TE LE JURE!

À côté de nous, un grand-papa a froncé les sourcils. Sa femme aussi a froncé les sourcils.

— Pour l'amour du ciel! Quelle sorte de

mère voudrait couper la bouée de sa petite fille? a dit le grand-papa.

— Je ne sais pas, Ed, a dit la grand-maman. Mais ce n'est pas bien.

Maman est restée figée.

Puis elle et papa ont ramassé nos serviettes. On est allés s'asseoir plus loin.

Maman a dit qu'elle n'irait pas chercher ses ciseaux.

— Yé! ai-je crié. Yé, yé!

J'ai sauté dans l'eau. J'ai commencé à nager.

— Regarde, maman! Regarde! Je porte toujours mon perroquet! Et il ne me serre même pas le ventre! Les perroquets aplatis sont tout à fait confortables!

J'ai nagé sous l'eau jusqu'au bout de la piscine.

— CE PERROQUET FONCTIONNE

C'est difficile de marcher avec des pattes de grenouille. Il faut lever les pieds très haut dans les airs, comme si on marchait dans une fanfare. Sauf que les grenouilles ne sont pas dans les fanfares, généralement. Parce que la plupart d'entre elles ne savent pas jouer d'un instrument.

Après avoir mis mes pattes de grenouille, j'ai mis mon masque et mon tuba.

Papa m'a amenée près de l'eau. Il a resserré mon masque.

Tadam!

J'étais prête!

J'ai flotté sur l'eau. J'ai respiré dans mon tuba.

J'étais très bonne pour respirer avec ce gros tuyau. Parce que je m'étais exercée dans la piscine, c'est pour ça!

Sauf que oh là là!

Je n'en revenais pas de ce que je voyais!

Je me suis relevée, tout excitée.

— LE FOND DE L'OCÉAN EST BIEN PLUS BEAU QUE LE FOND DE LA PISCINE! C'EST CLAIR COMME DE L'EAU DE BROCHE, LÀ-DESSOUS!

Maman et papa ont souri. Puis papa m'a dit de baisser le ton.

— La plongée est un sport silencieux, Junie B. Il ne faut pas déranger les autres plongeurs! Alors, le mot du jour, c'est silence, d'accord?

— D'ACCORD! ai-je dit. SILENCE!

Après, j'ai mis une veste pour m'aider à flotter.

En plus, je tenais une planche. J'ai nagé avec maman et papa jusqu'à un endroit spécial pour la plongée.

Les pattes de grenouille, ça aide à nager super vite.

Même si on nage avec un perroquet

aplati, on peut quand même aller vite.

Quand on est arrivés là, j'ai mis ma tête dans l'eau. Et les yeux me sont sortis de la tête!

Les poissons étaient tellement *beauuuuuux!*

Il y en avait des jaunes! Des bleus! Des noirs! Des blancs! Des orangés! Des argentés! Des tachetés! Des rayés!

Mon cœur s'est mis à battre en les voyant.

J'ai levé la tête hors de l'eau et j'ai enlevé mon tuba.

— HÉ! C'EST COMME SI JE NAGEAIS DANS L'AQUARIUM DE MON ÉCOLE!

Papa a mis les doigts sur ses lèvres. Il a désigné les autres plongeurs.

— Chut! Le mot du jour, c'est *silence*, tu te souviens?

J'ai essayé de calmer ma voix. Sauf qu'elle

n'arrêtait pas de monter.

— Ouais, sauf que JE NE SAVAIS PAS QUE JE SERAIS AUSSI EXCITÉE! C'EST DUR DE CONTRÔLER MON ENTHOUSIASME!

Après, j'ai encore regardé les beaux poissons.

Je souriais. Je souriais dans ma tête.

C'était comme un zoo de poissons!

Sauf qu'il est arrivé un petit problème.

J'ai vu un bâton derrière une roche.

Puis, tout à coup, GLOUP!

Le bâton s'est mis à *bouger*.

Et... AAAH!

OH NON! OH NON!

LE BÂTON EST PARTI EN NAGEANT!

Parce que ce n'était même pas un BÂTON! C'était...

— UNE ANGUILLE! UNE ANGUILLE! J'AI VU UNE ANGUILLE! APPELEZ LE

TRÈS BIEN! ai-je crié.

La grand-maman m'a applaudie.

— Bravo, ma petite! Tu ne t'es pas laissée faire!

Maman est restée assise une minute. Puis elle s'est levée et a encore déplacé nos serviettes.

J'ai appelé mon perroquet Constricteur. Constricteur est peut-être aplati, mais il est toujours amusant.

On a nagé toute la journée.

Avant de partir, j'ai donné mon appareil photo à maman. Je lui ai demandé de prendre une photo pour mon journal.

— Ce sera une photo de mon premier nouvel ami à Hawaii, ai-je dit.

J'ai tenu la tête de Constricteur. Tous les deux, on a dit *Hawaii!*

Sauf que tant pis pour moi. Parce qu'au

même moment, deux garçons sont passés par là. Ils ont ri de mon perroquet aplati.

— Hé, tu es censée le gonfler, espèce de nouille! a lancé un garçon.

Mon sourire s'est effacé.

Maman a pris la photo.

Clic.

2e jour : MOI ET LE PERROQUET

6

Poule mouillée

3e jour

Cher journal de première année,

Mon journal photo ne va pas si bien que ça.

En premier, il y a eu les dames grincheuses. Et après, j'ai eu l'air nouille.

Pour l'instant, mon journal photo raconte l'histoire la plus ridicule que j'aie jamais entendue.

~~Aujorduis~~ aujourd'hui, j'espère que ça ira mieux. Parce que moi, maman et papa, on va aller faire de la plongée libre. De la plongée libre, c'est un mot d'adulte pour dire qu'on nage avec un masque, des palmes et un gros tuyau dans la bouche.

Le tuyau s'appelle un tuba.

J'aime ce mot, tuba. J'aime aussi baba, samba et rumba.

Ton amie,

Junie B. Tuba

J'ai déposé mon crayon. J'ai attendu que maman et papa se lèvent.

Ce sont de gros paresseux. Sauf que je n'ai plus le droit de les secouer pour les réveiller. Sinon, maman est de mauvaise humeur.

911! ALERTE À L'ANGUILLE! AU SECOURS!

Des plongeurs ont sorti la tête de l'eau.

Papa aussi a sorti sa tête.

— *Chut*, Junie B.! Tu n'as pas à t'inquiéter. Je te le jure. Cette anguille est tout à fait inoffensive.

J'ai remis ma tête dans l'eau.

Parce qu'il fallait que je surveille cette anguille, c'est pour ça!

Tout à coup.... HOLÀ! ATTENDEZ DONC UNE MINUTE!

Quelque chose d'encore pire flottait dans ma direction!

Et ça s'appelait...

— UNE MÉDUSE! UNE MÉDUSE VIENT PAR ICI! ELLE EST AUSSI GROSSE QU'UNE MAISON, JE VOUS LE DIS!

Je me suis retournée.

J'ai nagé jusqu'à la plage en battant des

pieds aussi fort que je pouvais! Et je n'ai pas arrêté avant d'être arrivée.

Je suis sortie de l'eau en courant.

J'ai trébuché dans mes pattes de grenouille.

Je suis tombée dans le sable.

Je me suis reposée un peu pour retrouver mon souffle.

— Respire, ai-je dit à mon cœur essoufflé. Respire, respire, respire.

Puis j'ai entendu des clapotis de pieds mouillés.

J'ai ouvert un œil.

C'était papa.

Son visage n'était pas amical.

J'ai agité la main, un peu nerveuse.

— Bonjour, comment ça va, aujourd'hui? ai-je dit. Moi, ça va. Sauf qu'on dirait que j'ai peur des méduses. Alors, j'ai nagé jusqu'à la plage. Puis j'ai trébuché dans mes pattes de grenouille. Et maintenant, je me repose confortablement sur le sable.

J'ai réfléchi une seconde.

— Et aussi, je n'ai pas tellement aimé cette anguille.

Puis maman est sortie de l'eau.

Elle avait l'air aussi fâchée que papa.

Je lui ai fait un signe de la main.

— Je suis bien contente de vous voir, vous deux! ai-je dit.

Papa a froncé les sourcils.

— Ce n'est pas le moment de blaguer,

jeune fille. Tu es censée rester avec nous. Que je ne te voie plus faire une sottise pareille! Compris?

Tout à coup, mes yeux se sont remplis de larmes.

— Mais... Je ne voulais pas faire une sottise, papa. C'est juste que j'ai eu peur. Et j'ai commencé à nager. Je n'ai pas décidé de faire ça.

Mon nez a commencé à renifler.

— Excuse-moi, papa. Excuse-moi, maman. Excusez-moi d'avoir eu peur.

Papa et maman se sont regardés.

Ils n'avaient plus l'air fâchés.

Maman s'est assise à côté de moi.

— Nous ne sommes pas fâchés que tu aies eu peur, ma chérie. Nous sommes fâchés parce que tu t'es éloignée de nous. Tu ne dois jamais, *jamais* nager seule dans l'océan.

J'ai poussé un soupir déprimé.

— Finalement, je ne suis qu'une froussarde. Une vraie poulette mouillée!

Maman a souri.

— Tu veux dire une poule, a-t-elle dit en ébouriffant mes cheveux mouillés.

Après, on est revenus à la voiture.

Mon appareil photo était sur le siège arrière.

— Zut. Il faut que je prenne une photo de plongée pour mon espèce de devoir. Je pensais que la photo d'aujourd'hui serait réussie. Mais ces photos sont de plus en plus ridicules.

J'ai donné l'appareil à maman.

On a marché jusqu'au sable pour prendre une autre photo idiote.

Elle a soufflé un peu d'air dans mon

perroquet pour lui donner l'air plus vivant.

J'ai posé du mieux que je pouvais.

Clic.

3e jour : HAWAII SE PAIE MA TÊTE

7

Tête fleurie

4e jour

Cher journal de première année,

J'écris cette page dans un tour d'autobus assommant.

Assommant, c'est le mot des adultes pour dire qu'il n'y a rien d'autre que des vieilles personnes dans cet autobus.

On va faire une randonnée dans la nature.

Une randonnée dans la nature, c'est quand on va regarder des plantes, des oiseaux et des ~~paillizages~~ paysages.

Je ne peut pas imaginer une activité plus endormante.

Maman dit que je pourrai prendre de belles photos aujourd'hui.

Youp di dou.

Junie B. Jones qui voudrait
être ailleurs

J'ai refermé mon journal. J'ai poussé un gros soupir.

— Ce tour d'autobus ennuyant à mourir dure une *éternité*, ai-je ronchonné.

Papa et maman ont levé les yeux au plafond.

Parce qu'on n'avait pas encore quitté le stationnement.

J'ai continué de ronchonner.

Puis, finalement, *finalement*, la porte de l'autobus s'est refermée. On a commencé à partir.

Un homme sur le siège avant a pris un micro.

— ALOHAAAA! a-t-il crié.

Tous les gens dans l'autobus sont restés silencieux.

Puis quelques-uns ont dit aloha, mais d'une petite voix.

L'homme a éclaté de rire.

— Allez, vous pouvez faire mieux que ça! ALOHAAAA! a-t-il répété.

Cette fois, beaucoup de personnes lui ont répondu. Mais ce n'était pas assez fort pour lui, je suppose. Parce qu'il leur a fait recommencer ce cirque cinq fois.

J'ai tapé sur le bras de maman.

— Ce gars commence à me tomber sur les nerfs, ai-je dit.

— Chut! a-t-elle répondu.

J'ai regardé mon perroquet.

— Me faire dire *chut* aussi, ça me tombe sur les nerfs, ai-je dit.

L'homme a continué de parler.

Il a dit que son nom était Donald. Et qu'il serait notre guide pour la randonnée dans la nature.

J'ai soupiré.

— Les enfants n'aiment pas la nature, ai-je dit.

Donald a continué de jacasser. Il a dit qu'on était en route pour une belle forêt pluviale. Et qu'on verrait les paysages les plus spectaculaires du monde.

Je me suis caché la figure dans les mains.

— Les enfants *détestent* les paysages spectaculaires.

Donald a continué. Il a dit qu'on verrait de superbes fleurs, des arbres magnifiques et de beaux oiseaux de toutes les couleurs.

J'ai poussé un grognement.

— Est-ce que cette platitude peut encore empirer? ai-je gémi.

Un vieil homme devant moi m'a entendue.

Il m'a regardée par-dessus son dossier d'un air amical.

Il a dit qu'il s'appelait Harold. Et qu'il était un jeune de quatre-vingt-huit ans.

— À mon âge, les paysages spectaculaires sont très excitants, a-t-il dit.

J'ai encore soupiré.

— Je n'ai pas hâte d'avoir cet âge-là! ai-je répondu.

Papa s'est penché vers moi. Il m'a dit de *trouver quelque chose pour m'occuper, s'il te plaît.*

Il m'a donné mon appareil photo. Il m'a dit de prendre une photo des gens dans l'autobus.

J'ai attendu qu'on arrête à un feu de circulation. Je me suis levée dans l'allée. J'ai pris une photo.

Clic.

Je me suis assise.

— Cette photo va très bien aller avec mes autres photos ridicules. La classe numéro un va se tordre de rire pendant Montre et raconte.

J'ai continué d'attendre patiemment que leurs yeux s'ouvrent.

Finalement, j'ai marché sur la pointe de mes orteils jusqu'à la tête de papa. J'ai soufflé de l'air sur son visage.

Il a ouvert un œil.

J'ai agité la main gentiment.

— Bonjour, comment ça va, aujourd'hui? Regarde, je suis déjà habillée pour le déjeuner.

Papa a refermé son œil.

Je l'ai ouvert pour lui.

— Oups! Je t'ai perdu, là pendant une seconde, ai-je dit. Tu ne veux pas voir ce que je porte, ce matin?

Je me suis reculée pour qu'il puisse voir mes vêtements. J'ai fait une pirouette comme un mannequin de mode.

— Tu vois, papa? Tu vois comme je suis

mignonne? J'ai choisi cet ensemble pour aller avec la tête aplatie de mon perroquet. Il est très mignon avec ce short, tu ne trouves pas? Il a un peu l'air d'une ceinture-perroquet.

J'ai gambadé en cercle.

— Je suis contente que maman ne l'ait pas coupé. Il n'était pas inconfortable pour dormir. Presque pas.

Après, Constricteur et moi, on a grimpé sur le lit. On s'est assis sur les jambes de maman en attendant qu'elle se réveille.

Ça n'a pas été très long.

Après... hourra! On est allés déjeuner. Maman a dit que je pouvais commander des crêpes aux ananas et à la noix de coco! Et ça, c'est comme manger du dessert, je te le dis!

La serveuse nous a regardés, Constricteur et moi.

Elle a eu un petit rire.

Après, maman m'a enlevé mon appareil. Elle a dit que j'avais peut-être besoin de faire une sieste.

Je me suis bouché les oreilles.

— Ouais, sauf que comment je pourrais dormir avec ce Donald qui n'arrête pas de jacasser?

Cet homme n'arrêtait pas une seconde, je vous le dis.

Il nous a dit les noms d'un million d'oiseaux hawaïens et d'un million de fleurs hawaïennes. En plus, il a parlé d'ananas, de noix de coco, de bananes et de papayes.

Puis il a pris une grande inspiration. Et il a commencé à parler d'un poisson qui s'appelle le thon!

J'ai levé les mains en l'air.

— POUR L'AMOUR DU CIEL! ENLEVEZ-LUI LE MICRO, QUELQU'UN! ai-je crié.

Maman a poussé une exclamation en m'entendant.

Papa aussi.

Je me suis couvert la bouche. Mais il était trop tard. Tous les gens de l'autobus s'étiraient le cou pour me regarder.

— Junie B.! Mais qu'est-ce que tu as, aujourd'hui? a demandé maman.

Je me suis enfoncée dans le siège.

— Excuse-moi, maman. J'ai les nerfs en boule. Parce que j'ai *vraiment* besoin d'une photo géniale pour mon journal. Mais quelle sorte de photo géniale on peut faire pendant une randonnée assommante avec des vieux?

Je me suis interrompue. J'ai jeté un coup d'œil par-dessus le dossier du siège avant.

— Sans vouloir te vexer, Harold, ai-je ajouté.

— Il n'y a pas de mal! a-t-il répliqué.

— C'est juste que je commence à

manquer de temps, ai-je expliqué.

— Moi aussi!

Maman m'a fait rasseoir.

— Eh bien, je peux te promettre une chose, Junie B., a-t-elle dit. Si tu fais cette randonnée avec cette attitude négative, rien de bon ne va arriver. Mais si tu gardes l'esprit ouvert, tu pourrais être surprise. Parfois, la nature peut être palpitante.

Je me suis enfoncée encore plus dans mon siège.

— Ouais, ouais...

Je me suis tournée pour regarder par la fenêtre.

Elle peut bien dire ce qu'elle veut.

La nature, ce n'est pas palpitant.

Même dans un éden.

Le tour en autobus a duré *des heures*, on dirait.

Puis finalement! L'autobus a tourné dans un stationnement.

— Nous y sommes! a déclaré Donald. Bienvenue dans notre magnifique forêt pluviale!

Je me suis levée comme un ressort.

J'ai couru dehors. J'ai reniflé profondément.

— De l'air frais! De l'air frais! Je croyais que je n'en respirerais plus jamais!

Donald a rassemblé tous les gens de l'autobus autour de lui.

Il nous a donné un guide sur la nature. Il nous a annoncé le règlement pour la randonnée.

— *Règle numéro un.* Restez sur le sentier et ne vous aventurez pas seuls dans la forêt. *Règle numéro deux.* Respectez la végétation. *Règle numéro trois.* Parlez à voix basse.

J'ai regardé Constricteur en levant les

sourcils.

— Super. Une autre journée de silence.

Après, les gens de l'autobus se sont mis en file derrière Donald. On a commencé à marcher dans le sentier.

On avançait comme des limaces. Parce que toutes les deux secondes, des gens s'arrêtaient pour regarder des trucs.

Des trucs tout à fait *ordinaires*, je veux dire! Comme des plantes, des fleurs, des arbres!

Finalement, j'étais remplie de frustration.

— Bon, les amis. Continuez d'avancer. Vous avez déjà vu tout ça.

Papa m'a soulevée. Il m'a assise sur une roche. Il a attendu que les autres personnes nous dépassent.

Et puis, surprise.

Je me suis encore fait gronder.

Il a dit que si je n'étais pas sage, on

retournerait à l'autobus tout de suite. Et qu'on resterait là en attendant que les autres reviennent.

— Est-ce que c'est ça que tu veux, mademoiselle? Hein?

J'ai fait une grimace fâchée.

— Non, papa. Je ne veux rien de tout ça. J'aimerais faire quelque chose de palpitant. Parce que j'ai déjà vu des fleurs et la nature avant aujourd'hui.

Alors, maman a ramassé une fleur qui était sur le sentier.

— Oh, mais tu n'as jamais vu une fleur comme celle-ci, Junie B. Regarde comme elle est jolie. On dirait une grosse houppette rouge!

Elle l'a plantée dans mes cheveux.

Elle a sorti un miroir pour que je puisse me voir.

Je me suis regardée avec admiration.

— Oh! Je suis ravissante.

Maman a ri.

— Oui, c'est vrai. Cela ferait une très jolie photo.

Mon visage s'est éclairé.

— Mais oui! Cela serait la première jolie photo de tout mon journal!

J'ai sorti mon appareil. Je l'ai tenu loin devant moi.

Clic.

J'ai pris une photo de moi-même!

— Ça, ce sera une bonne photo, ai-je déclaré.

Après, on a continué notre randonnée.

Sauf que cette fois, c'était moi la lambine. Parce que je n'arrêtais pas de ramasser des houppettes pour les mettre dans mes cheveux.

Bientôt, toute ma tête était remplie de ces jolies fleurs.

J'en ai aussi mis dans mes poches, dans mes boutonnières et dans mes trous de lacets.

J'ai regardé mon perroquet en souriant.

— La nature, ça peut être palpitant.

Mon sourire s'est agrandi.

Qui aurait cru ça?

8

Le petit oiseau va sortir...

On a marché, marché, jusqu'au bout du sentier.

Puis Donald nous a donné des barres aux céréales. On a aussi bu du jus.

Donald aimait bien ma tête fleurie.

— Tu ressembles à un lehua.

J'ai froncé les sourcils en entendant ce mot.

— Un léou... quoi?

— *Lehua*. Les fleurs dans tes cheveux sont des lehuas, a-t-il expliqué. Ces fleurs sont la nourriture favorite d'un petit oiseau rouge qu'on appelle apapané.

J'ai fixé cet homme un moment.

— Tu as beaucoup trop d'informations dans ta tête, Don, ai-je dit.

Donald a ri très fort.

Moi aussi, j'ai ri.

Sauf que ce n'était pas une blague.

Après nous être reposés, on a recommencé à marcher vers l'autobus.

Maman, papa et moi, on était les derniers. Sauf que cette fois, j'ai marché encore plus lentement. Parce que mes fleurs n'arrêtaient pas de tomber. Alors, je devais les ramasser et les remettre dans mes cheveux.

— Dépêche-toi, Junie B., a dit maman. Il ne faut pas s'éloigner des autres. Si les fleurs tombent de tes cheveux, tu dois les laisser par terre.

J'ai froncé les sourcils.

— Mais j'ai travaillé très fort à cet arrangement floral, ai-je dit. Et je ne veux pas revenir à l'autobus la tête vide.

Maman a réfléchi une minute.

Puis elle a ramassé d'autres fleurs sur le sentier. Elle les a entrelacées dans mes cheveux. Elle a mis des pinces à cheveux pour les fixer.

— *Là!* Ça devrait tenir, a-t-elle dit. Maintenant, viens. Il faut les rattraper.

On a commencé à courir, toutes les deux.

Sauf que tant pis pour moi.

Parce que tout à coup, mon soulier s'est détaché. Je me suis assise par terre pour le rattacher.

Et ça, c'est mon dernier beau souvenir de la randonnée.

SWICHE!

Un bruit est passé près de mon oreille.

SWICHE!

J'ai retenu ma respiration.

Un tout petit oiseau rouge voltigeait près de ma figure!

Je suis restée sans bouger.

L'oiseau voletait et battait des ailes. Il pépiait et gazouillait. Il plongeait et tournoyait.

Et puis...

TOC!

CE FOU D'OISEAU A ATTERRI EN PLEIN SUR MA TÊTE!

Ma bouche a essayé de crier. Mais les mots ne voulaient pas sortir!

Je me suis levée et j'ai essayé de le chasser. Mais il restait là! Il s'agitait en battant des ailes!

Finalement, ma voix est redevenue normale.

— UN OISEAU! UN OISEAU! APPELEZ LE 911! UN OISEAU!

Papa et maman sont arrivés en courant.

Leurs bouches se sont ouvertes toutes grandes!

Ils ont essayé de chasser l'oiseau, eux aussi. Mais il continuait de s'agiter sur place en battant des ailes!

Soudain, maman a mis la main sur sa bouche.

— Oh non! Je pense qu'il est coincé! Ses pattes sont prises dans ses cheveux!

Mes yeux se sont agrandis en apprenant cette nouvelle.

— L'OISEAU EST PRIS DANS MES CHEVEUX? C'EST UNE BLAGUE?

J'ai monté encore le volume.

— AU SECOURS! IL EST PRIS DANS MES CHEVEUX! APPELEZ LE 911!

Tous les gens de l'autobus sont arrivés en courant.

Donald aussi est arrivé en courant.

Il s'est arrêté devant tout le monde.

Il a vite repris son sang-froid. Il a commencé à donner des ordres.

— Bon, je veux que tout le monde retourne à l'autobus. Tout de suite, s'il vous plaît.

Les vieilles personnes sont parties.

Donald s'est tourné vers maman et papa.

Il a forcé sa voix à être calme.

— Bon, papa et maman, éloignez-vous de l'oiseau, a-t-il dit.

Maman et papa se sont regardés. Ils se sont éloignés.

Donald s'est approché de moi très lentement. Il s'est accroupi. Il a pris ma main.

— Ça va, ma chouette? a-t-il demandé.

J'ai levé les yeux au ciel.

— J'ai un oiseau sur la tête, Don. Comment je vais, à ton avis?

Il a souri.

— Je ne sais pas. Je te trouve plutôt brave.

J'ai réfléchi une minute. Puis j'ai dit en soupirant :

— Non, Donald. Je ne suis pas brave. J'ai peur des méduses et des anguilles.

— Moi aussi, a dit Donald en haussant les épaules.

Il m'a tapoté le dos. Il m'a donné des instructions.

— Surtout, reste immobile, a-t-il dit. Je vais passer derrière toi pour libérer cette petite bête, d'accord?

Mon cœur battait très vite.

— D'accord.

Je suis restée le plus immobile possible.

La voix de Donald a continué de parler doucement.

— Durant toutes les années où j'ai été guide, je n'ai jamais vu un truc pareil, a-t-il dit. On peut dire que tu es un oiseau rare!

J'ai levé les sourcils.

— Vraiment, Donald?

— *Vraiment.* Je voudrais bien avoir une photo de ta tête! Ce serait une photo unique!

C'est alors que je me suis souvenue! J'ai poussé une exclamation.

— Donald... j'ai un appareil photo!

J'ai désigné mon sac à dos, par terre sur le sentier.

— Il est là-dedans.

Maman a mis sa main devant sa bouche.

— C'est vrai! Je l'avais complètement oublié! a-t-elle dit.

Elle s'est penchée très lentement. Elle a sorti l'appareil photo du sac. Et...

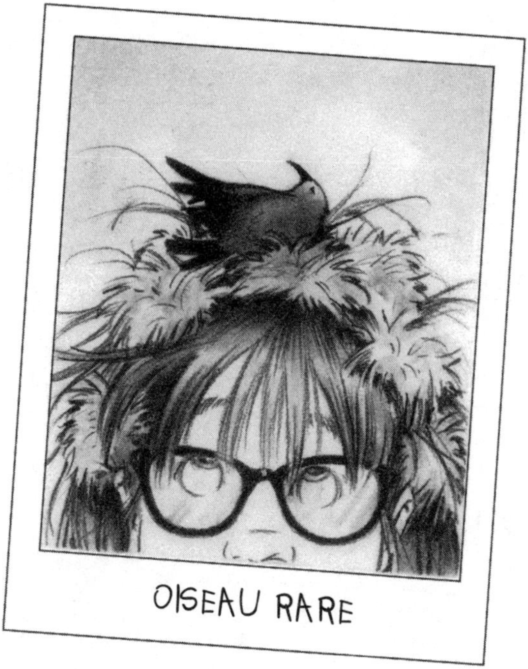

Clic.

Elle a pris une photo!

J'ai continué de ne pas bouger.

J'ai senti Donald prendre l'oiseau délicatement. Il a démêlé ses pattes de mes cheveux.

Clic.

Maman a pris une autre photo.

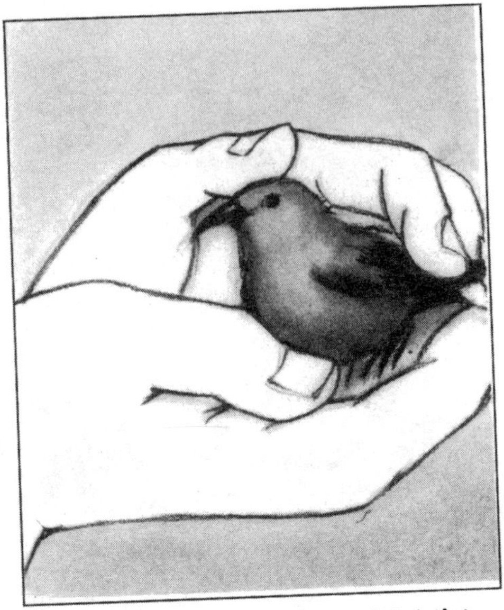

LÉGER COMME UNE PLUME

Puis, hourra!

Donald a tendu ses mains. Il m'a montré le petit oiseau rouge.

— Regarde! Il n'a pas perdu une plume. Bravo, jeune fille!

J'ai souri, soulagée.

— Dis donc, tu portes déjà ta bouée? Tout ce qu'il te reste à faire, c'est de la gonfler!

J'ai froncé les sourcils en entendant ce commentaire.

— Ouais, sauf que je ne peux pas le gonfler parce qu'il me coupe le souffle en deux, ai-je dit.

La serveuse a arrêté de sourire.

— Ah. Ah bon.

Elle a pris notre commande. Puis elle s'est éloignée lentement de la table en reculant.

Après le déjeuner, papa est allé à l'entrevue pour son travail. Maman et moi, on est allées à la piscine en l'attendant.

Puis il est revenu. Hourra! C'était l'heure de la plongée!

Quand tout le monde a été prêt, on est entrés dans la voiture. On a conduit jusqu'à une plage spéciale pour la plongée avec tuba.

Ce mot m'a fait rire dans l'auto. Je l'ai répété un million de fois, je pense.

— Tuba. Tuba, tuba, tuba, tuba. Je vais plonger avec un tuba. Voici un poème de tuba.

J'ai pris une inspiration, puis j'ai dit :

— Tuba rumba, tuba samba, tuba là-bas, tuba baba!

Maman s'est retournée.

— Arrête, s'il te plaît, a-t-elle dit.

Puis elle a pris une aspirine.

Les mères n'aiment pas tellement les poèmes, on dirait.

Bientôt, papa a tourné dans le stationnement de la plage. Il a transporté notre équipement au bord de l'eau.

Maman m'a aidée à mettre mes palmes.

Les palmes ressemblent exactement à des pattes de grenouille. Sauf qu'elles ne sont pas sur de vraies grenouilles.

— Bravo à toi, Donald.

Il m'a fait un clin d'œil.

— Que dirais-tu de libérer ce petit oiseau pour qu'il retourne à son arbre? Il va avoir une histoire plutôt incroyable à raconter à ses amis, pas vrai?

J'ai pensé à Montre et raconte.

— Oui! Moi aussi!

J'ai repris mon appareil photo. Donald et moi, on a marché sur le sentier.

Donald a déposé l'oiseau sur une roche.

Il a gardé ses mains autour de lui.

— Prête? a-t-il demandé.

— Prête! ai-je répondu.

Donald a enlevé ses mains.

FLAP-FLAP!

L'oiseau a commencé à voler.

J'ai pris des photos à toute vitesse.

Clic.

UN OISEAU SUR LA BRANCHE

Clic.

L'OISEAU S'EST ENVOLÉ

Puis... ZOUM! Il est parti!

Je suis restée silencieuse une seconde.

Donald aussi.

On s'est regardés en souriant.

Puis j'ai dit à Donald :

— Attention, le petit oiseau va sortir...

J'ai visé avec mon appareil une dernière fois.

Clic.

9

Aloha!

5e jour

Cher journal de première année,

C'est déjà demain matin.

Papa et maman dorment encore. Sauf que je ne sais pas comment ils ont pu s'endormir hier soir!

Parce qu'hier, c'était le jour le plus e+citant de ma vie! Un jour oiseau!

Donald a parlé dans le ~~microfone~~ microphone tout le chemin du retour dans l'autobus.

Il a dit que l'oiseau était un ~~oisyon~~ oisillon. Et qu'il avait probablement pris ma tête pour une fleur géante.

Aussi, Donald a dit que j'avais été très brave. Et que j'étais une charmante petite fille.

C'était une conversation très intéressante.

Mais ce n'est pas tout!

Parce qu'hier soir, j'ai pris un bain avec des bulles. Et mon perroquet Constricteur est devenu tout chaud et savonneux.

Et tu sais quoi? Il a glissé de mon ventre avec toutes ces bulles!

Je commence à avoir du succès avec les oiseaut!

Un jour, peut-être que je serai guide comme Don.

J'ai réfléchi une seconde.

Hum. Je pourrais aussi devenir une journaliste photographique.

Je me suis tapoté le menton.

Non, attends! Peut-être que je ferai des arrangements floraut dans les cheveut. Parce que j'ai un talent pour ça aussi.

Junie B., Guide et peut-être
autre chose

J'ai déposé mon crayon et j'ai sorti mon journal photo.

Parce qu'après le tour d'autobus d'hier, on est allés à la pharmacie. On a fait développer mes photos. Et elles sont très belles, je vous le dis!

Je les ai montrées à Philip Johnny Bob et à Constricteur. Ils les ont beaucoup aimées.

J'ai essayé de les montrer à Dolores. Mais elle était occupée. Elle se faisait faire un traitement facial.

Après avoir regardé toutes les photos, je les ai placées dans mon journal.

J'ai écrit les légendes bien proprement.

J'ai souri en les lisant.

M. Terreur avait raison. Ce journal raconte *vraiment* une histoire en photos.

Et Donald avait raison, lui aussi! Ma photo d'oiseau était unique!

RAVISSANTE

OISEAU RARE

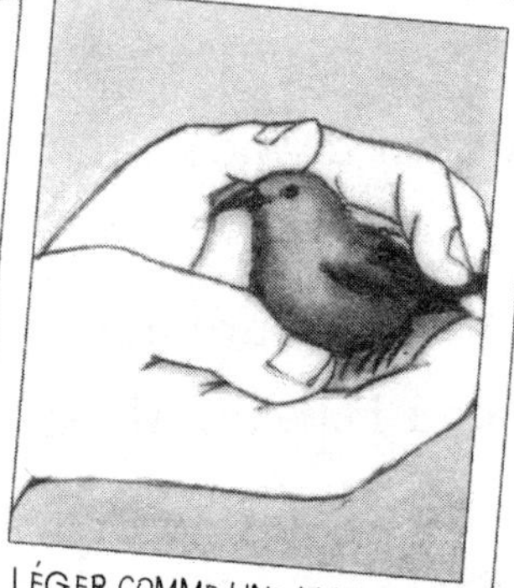
LÉGER COMME UNE PLUME

UN OISEAU SUR LA BRANCHE

L'OISEAU S'EST ENVOLÉ

MON NOUVEL AMI DON

— Un oiseau rare, ai-je chuchoté. Difficile de faire mieux!

J'ai ouvert ma valise. J'ai rangé mon journal avec soin.

J'ai encore souri.

— Le premier journal photographique *officiel* de la classe numéro un.

Je me suis redressée.

Parce que ça me grandissait de me sentir officielle.

Puis la radio s'est allumée. Aujourd'hui allait être notre dernier jour à Hawaii. Alors, maman et papa avaient mis le réveil.

J'ai regardé l'heure et j'ai souri.

On avait encore le temps de manger un autre délicieux déjeuner de crêpes!

J'ai avancé sur la pointe des orteils jusqu'à papa. J'ai soufflé de l'air sur son visage.

Il a ouvert un œil.

J'ai agité la main.

— Aloha ha! ha! ai-je chuchoté.

Papa a gloussé.

Je l'ai embrassé sur la joue.

Ces vacances à Hawaii étaient les plus belles de ma vie.

— JE SUIS COINCÉE DANS MON PERROQUET! JE SUIS COINCÉE DANS MON PERROQUET! APPELEZ LE 911! JE SUIS COINCÉE!

Tout le monde s'est retourné pour nous regarder.

— Chut! a dit papa. Arrête de crier.

Il a vite trouvé le bouchon. Il l'a tiré.

et... *PFUIIITT!*

L'air est sorti de mon perroquet d'un seul coup!

Tout à coup, mon ventre a pu respirer.

— Aaaah! C'est beaucoup mieux. Merci, papa. Merci.

J'ai attendu que tout l'air soit sorti. Puis je suis retournée à la piscine.

Maman m'a rappelée en claquant des doigts.

— Holà! Une minute! Tu ne peux pas